아세안웨이 ②

캄보디아

글 와차린 용씨리 / 번역 배수경 / 감수 부산외국어대학교 특수외국어사업단

〈아세안 웨이〉시리즈를 발간하면서

한국의 대표 공공외교 전문기관인 한국국제교류재단(KF, The Korea Foundaion)이 운영하는 아세안문화원(ACH, ASEAN Culture House)에서〈아세안 웨이(The ASEAN Way)〉도서 시리즈를 한국어로 번역 · 출판하였습니다.

아세안(ASEAN, Association of Southeast Asian Nations)은 동남아시아 10개국의 공동체입니다. 인구는 총 6억 6천만 명으로 전 세계 인구의 약 8%를 차지하고 있으며 면적은 한반도의 20배 크기입니다. 여기에 더하여 석유, 천연가스 등의 다양하고 풍부한 자원을 바탕으로 빠르게 성장하고 있습니다.

아세안은 한국의 제2의 무역 파트너로 경제뿐만 아니라 다양한 방면으로 교류하고 있습니다. 우리 국민들이 제일 많이 방문하는 해외 여행지 제1위가 아세안 국가들이며, 아세안 국가에는 36만 명이 넘는 한국인들이 살고 있습니다. 유학, 결혼, 노동의 목적으로 아세안 국가에서 오신 분들도 56만 명에 달합니다. 아세안 국가 외에 유일하게 부산에 설립된 아세안문화원 역시 이러한 관계의 결실입니다.

〈아세안 웨이〉 시리즈는 아세안 10개국의 역사, 문화, 지리, 음식, 전래동화 등을 소개하고 있으며, 어린이와 청소년뿐만 아니라 우리 국민 모두가 아세안 각국에 대한 호기심을 풀고, 기초 정보를 얻을 수 있는 좋은 자료가 될 것입니다.

우리가 책을 통해 쌓은 지식과 경험들은 가치관을 형성하는 밑거름이 되고, 나아가 사람들과 어우러져 살아갈 수 있는 바탕이 되기도 합니다. 한국국제교류재단은 〈아세안 웨이〉 시리즈를 읽는 어린이, 청소년들이 책을 통해 아세안과 아세안 국가에 대한 견문을 넓히고 열린 마음으로 세계를 바라볼 수 있기를 바랍니다.

〈아세안 웨이〉 시리즈를 한국어로 번역·출판하기까지 애써주신 모든 관계자분들께 감사드리며, 한국국제교류재단은 앞으로도 우리 국민과 세계가 서로 알아가고 친구가 되는 길에 앞장서겠습니다.

한국국제교류재단 이사장 **이근**

동남아시아 국가연합

Association of Southeast Asian Nations : ASEAN

차례

쭘리업쑤어, 캄보디아

캄보디아 왕국

캄보디아는 인도차이나반도의 남쪽에 있는 나라로, 2천 년의 역사를 가지고 있어요. 세계에서 가장 큰 사원인 앙코르와트로 유명해요. 수도는 프놈펜으로, 캄보디아 경제의 중심지예요.

국장

5단으로 되어 있는 두 개의 왕실 우산은 왕과 왕비를, 우산을 들고 있는 두 사자는 캄보디아 국민을, 왕관에서 뿜어져 나오는 빛은 크메르 문명의 번영을, 받침대 위의 칼은 왕실의 힘과 정의를 뜻해요. 그리고 아래쪽에 있는 파란색 휘장에는 '캄보디아 왕국의 국왕'이라고 쓰여 있어요.

국기

캄보디아의 국기는 캄보디아 왕국 때인 1948년부터 1970년까지 쓰던 국기를 1993년부터 다시 쓰기 시작한 거예요. 위쪽과 아래쪽에 있는 푸른색은 국왕을, 가운데 붉은색은 국민을 뜻해요. 그리고 가운데 하얀색으로 그린 사원은 앙코르와트로 종교와 평화를 뜻해요.

국가 상징

국기에 그려져 있는 앙코르와트는 캄보디아를 대표하는 상징이에요. 앙코르와트는 씨엠리업에 있는데, 오늘날 전 세계 수많은 사람이 찾는 유명한 관광지예요.

국가

캄보디아의 국가는 크메르어로 '노꼬리얶'인데, '왕국'이라는 뜻이에요. 노르덤 쏘라마릇 왕이 왕궁의 프랑스인 음악 강사였던 지킬 경과 페르쉬 경의 도움으로 작곡했어요. 가사는 1941년에 노르덤 써이하누가 왕이 된 지 몇 달 후에 쭈언 낫이 완성했지요.

국화

캄보디아의 국화는 룸두얼이에요. 흰색과 노란색 꽃잎이 아름다우며 향기가 강해서 밤이 되면 향기가 멀리 퍼져요. 캄보디아의 전 지역에서 볼 수 있는데, 주로 공원에 심어요. 예전에는 캄보디아 여성을 룸두얼에 비유하기도 했어요.

언어

캄보디아의 공식 언어는 크메르어로, 불교와 힌두교를 통해 들어온 팔리어와 산스크리트어에서 차용한 언어예요. 캄보디아의 40세~50세 이상의 사람들은 프랑스어를 쓸 수 있는데, 캄보디아가 프랑스의 식민지였기 때문이에요.

오늘날 캄보디아의 젊은 사람들은 영어, 프랑스어, 태국어, 중국어, 베트남어 등 여러 언어를 쓸 수 있어요. 이는 여러 언어를 말할 수 있는 사람이 직업을 얻기 쉽고, 임금도 더 많이 받을 수 있기 때문이에요.

화폐

캄보디아의 화폐 단위는 '리얼'이라고 하며 KHR이라고 표기해요. 지폐는 50, 100, 200, 500, 1,000, 2,000, 5,000, 10,000, 50,000 및 100,000 리얼이 있어요. 동전은 50, 100, 200 및 500 리얼이 있으나 거의 쓰이지 않아요.

1,000리얼은 우리나라 돈으로 약 280원*이에요.

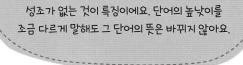

알아 두면 좋아요

캄보디아의 화폐 단위인 리얼은 똔레쌉호에서 많이 잡히는 민물생선의 이름에서 유래했다는 말도있어요. 2014년에 캄보디아에서 새로운 화폐가 발행됐어요. 그중 1,000리얼은 2012년에 세상을 떠난 노르덤 써이하누 전 국왕의 추모 기념 화폐로, 백조 모양의 배로 장식한 차량으로 운구하는 모습이 그려져 있어요. 20,000리얼은 노르덤 씨하모니 현 국왕의 모습을 처음 담은 화폐예요. 그리고 가장 큰 화폐인 100,000리얼에는 씨하모니 왕의 환갑 기념으로 노르덤 국왕 일가의 그림이 있어요.

* 2020년 12월 기준

풍요로운 땅

캄보디아의 면적은 181,035km²로, 동남아시아에서 8번째로 큰 나라예요. 캄보디아는 삼면이 산으로 둘러싸여 있고 가운데는 평평한 분지예요. 북쪽은 태국, 라오스와 마주하고 있으며, 동쪽은 베트남, 서쪽은 태국, 남쪽은 베트남과 타이만을 마주하고 있어요.

큰 산의 품속
캄보디아는 삼면이 산으로 둘러싸여 있어요.

● 동쪽은 베트남과 국경을 마주하고 있는 동북 고원지대가 있어요.

● 북쪽과 서북쪽은 태국과 국경을 마주하고 있는 덩랙산맥이 있어요.

● 남쪽과 서남쪽은 태국과 국경을 마주하고 있는 끄러완산맥이 있어요.

● 동남쪽은 메콩강 유역의 평야 지역이에요.

캄보디아는 대한민국 표준시보다 2시간 늦어요.

캄보디아에서 가장 높은 곳
캄보디아에서 가장 높은 산은 프놈 아오랄로, 높이는 1,813m에 달해요. 프놈 아오랄산은 끄러완산맥의 동쪽에 있는 프놈 아오랄 야생 동물 보호 구역에 있어요.

기후

캄보디아는 건기와 우기, 두 계절이 있어요. 계절풍 지대에 놓여 있어서 1년 내내 더워요. 그중 4월경이 가장 덥지요. 5월부터 10월 사이에 비가 많이 내리는 우기인데, 10월에 비가 가장 많이 와요.

알아 두면 좋아요

'프놈 아오랄'은 고산 지대가 아닌 평야 지대에 있어요. 수도인 프놈펜에서 서쪽으로 약 100km 떨어진 곳에 있답니다. 캄보디아어로 프놈은 '산'이라는 뜻이에요.

줄어드는 삼림

캄보디아는 숲이 울창하고 삼림 자원이 풍부해요. 그러나 캄보디아 정부가 인도네시아, 말레이시아, 일본의 민간 기업들에 산림을 채벌할 수 있는 독점권을 개방하면서 아주 빠른 속도로 숲이 줄어들고 있어요.

풍부한 수자원

대부분의 토지는 호수 주변과 강 유역에 있는 평야 지대예요. 캄보디아 중앙에는 가장 큰 호수인 똔레쌉호가 있어요. 캄보디아의 젖줄이라고 할 수 있는 중요한 수자원으로는 메콩강, 똔레쌉강, 바싹강이 있어요. 이 강들은 프놈펜 왕궁 주변에서 만나요.

똔레쌉호

똔레쌉호는 동남아시아에서 가장 큰 호수이며 캄보디아에서 가장 큰 자연 저수지예요. 아주 오래전부터 캄보디아 어업과 농업의 중심지였어요. 똔레쌉호 주변은 지금도 여전히 캄보디아의 농사를 가장 많이 짓는 곡창 지대예요. 그래서 이 지역에서 고대 크메르 문명을 꽃피울 수 있었지요. 똔레쌉호는 지금도 여전히 동남아시아에서 가장 큰 민물어장이에요.

평균 기온

장소	3월	6월	11월
프놈펜	28℃~38℃	24℃~32℃	22℃~28℃
씨엄리업	27℃~37℃	24℃~33℃	23℃~29℃
써이하누빌	26℃~35℃	24℃~34℃	20℃~28℃

정치

캄보디아는 왕이 국가의 수반인 입헌 군주국으로, 행정부의 수장은 총리예요.

현재 캄보디아 왕인 노르덤 씨하모니 왕

행정 제도

캄보디아는 24개 주, 1개 수도(프놈펜), 3개 국경 특별 경제 지역으로 나뉘어요.

국경 특별 경제 지역은 번띠어이미언쩨이주의 빠오이빠엣시, 쓰와이리엉주의 바웟시, 트봉크뭄주 의 쑤엉시예요.

각 주는 우리나라의 군에 해당하는 쓰록, 읍에 해당하는 쿰, 면에 해당하는 품으로 나뉘어 있어요. 주의 최고 책임자는 주지사로, 정부에서 임명하며 임기는 5년이에요.

알아 두면 좋아요

노르덤 씨하모니 왕은 2004년도에 즉위했어요. 체코에서 발레를 배웠고, 북한에서 영화 촬영을 공부했으며 프랑스에서 발레를 가르치기도 했어요. 1990년대에는 두 편의 발레 영화를 제작한 영화감독이기도 해요.

의회 제도

캄보디아의 국회는 하원과 상원으로 나누어져요. 하원 의원은 국민이 선거로 뽑으며 임기는 5년이에요. 상원의 임기는 6년이지요. 상원은 정부와 의회 사이에서 조정자의 역할을 하기도 해요.

선거

캄보디아의 선거는 선거관리위원회에서 관리하고 있어요. 18세 이상의 국민은 선거에 참여하여 투표할 수 있는 선거권이 있고, 선거에 출마할 수 있는 피선거권은 25세 이상의 국민에게 주어져요.

다양한 종족

캄보디아의 인구는 15,552,200여 명*으로 전체 인구의 $\frac{2}{3}$가 농촌 지역에 살고 있고, 대부분 농사를 지으며 살아요.

캄보디아 사람들

캄보디아 사람들 중에 90%는 크메르족이에요. 크메르족은 캄보디아 정치와 문화에 가장 큰 영향을 끼치고 있어요. 크메르족 이외의 종족은 소수 종족에 속해요.

● **참족**은 캄보디아에서 가장 오래된 소수 종족이에요. 짬빠왕국의 후손들로, 2000년 넘게 캄보디아 땅에서 살았어요.
은제품을 만드는 기술이 뛰어나고, 물고기를 잡고 사냥을 하는 특별한 재주가 있어요. 또한 약초에 관한 풍부한 지식을 갖고 있어서 대체로 생활수준이 높은 편이에요. 대부분 프놈펜의 동쪽과 북쪽 강변에 살고 있어요.

● **베트남계 캄보디아 사람**은 캄보디아의 소수 종족 중에서 가장 많은 수를 차지해요. 이들은 대부분 도시에 살고 있어요. 식당 같은 작은 규모의 자영업을 하는 경우가 많지만 일부는 메콩강이나 똔레쌉호 주변에서 어업에 종사해요.

● **기타 소수 종족** 캄보디아에는 라오족, 중국계, 남아시아계, 타이족, 산족 등이 소수 종족으로 살고 있어요. 이들은 프놈펜이나 밧덤벙 등의 대도시에 살면서 상업과 개인 사업에 종사하고 있어요.

* 2019년 캄보디아 통계청 기준

꺼꽁의 태국 사람

캄보디아의 꺼꽁주에는 '타이꺼꽁'이라고 불리는 소수 종족이 살고 있어요. 이 지역은 1795년부터 1904년까지 태국의 '빳짠키리켓' 지역이었어요. 그 후 프랑스 식민지의 일부가 됐는데, 이때 태국으로 돌아가지 못한 사람들이 꺼꽁주에 남아 있게 된 거예요.

경제

캄보디아 정부는 국민들의 경제 수준을 높이기 위한 여러 정책을 펼치고 있는데, 특히 농촌에 사는 주민들의 삶의 질을 높이기 위해 노력하고 있어요.

농업

대부분의 캄보디아 사람은 호수, 강, 하천 주변의 비옥한 토지에서 농사를 지으며 살아요. 캄보디아 정부는 벼, 옥수수, 후추, 카사바, 사탕수수, 고무나무 같은 농작물의 생산량을 늘리기 위해 작은 댐, 둑, 운하 등의 관개 시설을 건설하고 있어요.

● 벼 캄보디아는 캄보디아 사람들이 먹고 남을 만큼 벼를 많이 재배해요. 캄보디아 사람이 소비하고 남은 쌀은 태국이나 베트남에 수출하고 있어요.

● 후추 기온이 높고 비가 많이 내리는 껌뽓 주에서 질 좋은 후추가 많이 나와요.

● 고무나무 캄보디아 정부는 베트남과 중국 기업에 대규모로 고무나무를 기를 수 있는 특허권을 주었어요. 캄보디아에서 생산된 고무의 대부분은 말레이시아나 중국 등에서 자동차 타이어를 만들기 위해 고무판으로 수출되고 있어요.

밧덤벙의 비옥한 토지

알아 두면 좋아요

밧덤벙은 캄보디아 최대의 곡창 지대예요. 밧덤벙은 크메르어로는 '막대기를 잃어버린다'는 뜻이에요. 밧덤벙은 외국인들이 '날으는 양탄자'라고 부르는 대나무 기차인 '로리'가 유명해요. 로리는 대나무를 촘촘하게 이어 붙이고 간이 바퀴와 경운기 엔진을 붙여서 만든 교통수단이에요. 이 지역 주민들에게는 없어서는 안 될 중요한 교통수단이지요. 머지 않아 사라질 수 있는 로리를 타기 위해 많은 관광객이 찾아와요.

어업

똔레쌉호는 캄보디아 담수 어업의 중심지로, 가물치류, 메기류, 잉어류 등과 같은 민물고기가 매우 풍부해요. 캄보디아 어민들은 민물 생선을 잡아서 싱싱한 상태로 팔거나 연기에 쏘여 훈제 생선으로 만들기도 해요. 또 소금에 절여 젓갈을 담기도 하지요. 꺼꽁, 써이하누빌, 껌뻣 등의 바닷가 주변에도 새우, 조개, 게, 생선 등의 해산물이 많기 때문에 어업에 종사하는 사람들이 있어요.

아시나요?

똔레쌉호에는 물고기가 많아 수많은 캄보디아 사람들이 똔레쌉호에서 물고기를 잡으며 살아요. 캄보디아 사람들은 호수에서 잡은 물고기를 연기에 익혀서 훈제 생선으로 만드는데, 훈제 생선은 냄새가 좋을 뿐만 아니라, 오랜 기간 보관해 두고 먹을 수 있어요. 훈제 생선은 캄보디아를 대표하는 음식 가운데 하나예요.

서비스업

캄보디아는 문화유산이 풍부한 나라예요. 세계문화유산인 앙코르 와트를 비롯해 유명한 유적지가 많아요. 그래서 서비스업이 발전할 수 있었고, 전 국민의 26.5% 정도가 서비스업에 종사하고 있어요.

산업

캄보디아에는 의류 봉제 공장, 신발 봉제 공장, 식품 가공 공장 같은 작은 규모의 공장이 많아요.

캄보디아는 의류 제조업이 아주 발달했어요. 주로 미국과 유럽연합(EU)에 의류를 수출하고 있어요.

국경 무역

캄보디아는 태국이나 베트남 등 캄보디아보다 경제가 발전한 나라와 국경을 마주하고 있어요. 태국이나 베트남 등의 국경 지역에서 작은 규모의 무역이 이루어지고 있어요. 전체 캄보디아와 태국 무역의 80%가 국경 무역에서 이루어져요.

주요 도시

프놈펜

프놈펜

프놈펜은 캄보디아의 수도로, 남쪽 중앙에 있어요. 캄보디아 사람들은 프놈펜을 부를 때 도시라는 뜻의 끄롱을 붙여 '끄롱프놈펜'이라고 불러요. 프놈펜에는 메콩강, 바싹강, 똔레쌉강이 흐르고 있어요. 프놈펜은 캄보디아 경제와 행정의 중심지예요.

프놈펜이라는 도시 이름은 약 600년 전 펜 부인의 이야기에서 유래됐어요. 어느 날, 펜 부인이 메콩강에 떠다니는 통나무에서 4개의 청동 불상을 발견했어요. 펜 부인은 주변에서 가장 높은 곳에 사원을 짓고 4개의 불상을 모셨지요. 이 사원이 쁘라싯 프놈이에요. 사원이 있는 이 지역을 언덕이라는 뜻의 '프놈' 그리고 펜 부인의 이름을 딴 '펜'을 넣어 프놈펜이라고 부르게 됐어요.

씨엠리업의 앙코르와트

씨엠리업의 쁘라싯 따쁘룸

씨엠리업

씨엠리업은 캄보디아의 북서부에 자리잡고 있는데, 캄보디아를 대표하는 도시 가운데 하나예요. 씨엠리업에는 훌륭한 고대 유적지가 많은데, 세계문화유산인 앙코르와트를 비롯하여 쁘라싯 바이욘, 쁘라싯 따쁘룸 등이 유명해요. 해마다 씨엠리업를 방문하는 관광객은 160만 명에 이르러 호텔 등의 숙박 시설, 식당, 여러 서비스업을 통해 캄보디아의 국가 수입에 큰 도움이 되고 있어요.

아시나요?
고대 캄보디아의 수도는 지금의 씨엠리업에 있는 앙코르 시였어요. 그 후 짜또묵, 라웩, 우동을 거쳐 오늘날의 프놈펜으로 수도를 옮겼어요.

써이하누빌

밧덤벙

캄보디아 사람들은 밧덤벙을 '끄롱밧덤벙'이라고 불러요. 캄보디아의 북서쪽에 자리 잡고 있는데, 태국의 짠타부리주와 국경을 마주하고 있어요. 프놈펜에서 약 291km 떨어져 있지요. 밧덤벙은 천연자원이 풍부하고, 평야가 넓게 펼쳐져 있는 곡창 지대예요. 이 지역에서 생산되는 쌀은 부드럽고 향이 좋아서 인기가 아주 많아요.

그 밖에 카사바, 옥수수, 콩, 깨 등이 많이 생산되고, 소, 물소, 돼지, 닭 등도 많이 길러요.

써이하누빌

캄보디아 사람들은 써이하누빌을 '끄롱쁘레어써이하누'라고 불러요. 프놈펜에서 남쪽으로 약 246km 떨어져 있지요. 써이하누빌은 캄보디아에서 중요한 경제 도시로, 항구 도시이자 유명한 휴양지예요. 써이하누빌에는 인디펜던스비치, 빅토리비치, 오츠띠얼비치 등의 아름다운 해변이 여럿 있어요. 또한 캄보디아에서 유일한 심해항인 써이하누빌항이 있는데, 특별 경제 구역에 어울리는 항구로 개발하고 있어요.

알아 두면 좋아요

'끄롱쁘레어써이하누'가 6개의 특별 경제 구역을 더하여 모두 10개의 특별 경제 구역으로 늘어났어요. 캄보디아 정부는 더 많은 외국 기업의 투자가 이루어지고 제조 공장이 늘어나 일자리가 많아질 것이라고 기대하고 있어요.

관광

앙코르와트

앙코르와트

앙코르와트는 캄보디아를 대표하는 건축물로, 세계에서 가장 큰 종교 건축물이에요. 사암으로 쌓은 앙코르와트는 원래 힌두교 사원이었어요. 12세기 초에 쏘리야워라만 2세가 힌두교의 비슈누 신에게 바치기 위해 세웠지요. 사원의 둘러싸고 있는 회랑에는 쏘리야워라만 2세의 생활 모습, 인도의 대서사시인 《라마야나》의 내용, 옷과 머리 모양 그리고 동작이 모두 다르게 춤을 추는 압싸라 1,635명의 모습이 새겨진 조각으로 꽉 차 있어요.

쁘라쌋 바이욘

쁘라쌋 바이욘

쁘라쌋 바이욘은 씨엄리업의 앙코르톰의 중심에 세운 대승불교 사원이에요. 1181년에서 1220년 사이에 쩨이워라만 7세가 부처를 모시기 위해 불상을 건축했어요.

쁘라쌋 바이욘에는 동서남북 4면에 얼굴이 새겨진 거대한 탑이 서 있어요. 지금은 37개만 남아 있으나 원래는 54개가 있었을 거라고 추측하고 있어요. 탑의 4면에 새겨진 얼굴은 국민들의 모든 행복과 불행을 두루 살핀다는 뜻이에요.

쁘라쌋 번띠어이쓰러이

아시나요?
캄보디아의 사원은
대부분 크샤트리아 계급인 왕이 세웠는데,
쁘라쌋 번띠어이쓰러이는 브라만 계급인
바라문 사제가 세웠어요.

쁘라쌋 번띠어이쓰러이

쁘라쌋 번띠어이쓰러이는 캄보디아에서 가장 아름다운 사원으로 손꼽혀요. 붉은 사암으로 만들어진 작은 사원으로, 브라만 사제인 얀나와라하가 967년에 힌두교 신인 시바신에게 바치려고 세운 거예요. 1000년이 넘는 세월이 흘렀지만 사원의 새겨진 조각은 새로 만든 것처럼 정교하고 아름다워요. 쁘라쌋 번띠어이쓰러이는 씨엄리업 중심부에서 동북쪽으로 약 30km 떨어진 곳에 있어요.

쁘라쌋 쁘레위히어

쁘라쌋 쁘레위히어는 힌두교 사원으로, 사암으로 지었어요. 프놈덩랙산맥에 세워져 있는데, 쩨이워라만 2세 시대(889년~900년)에 짓기 시작하여 1038년에 완공했어요. 2008년 7월 7일, 유네스코에서 세계문화유산으로 지정했어요.

쁘라쌋 쁘레위히어

독립기념탑

독립기념탑

독립기념탑은 1958년에 캄보디아가 프랑스로부터 완전히 독립한 것을 기념하기 위해 세웠어요. 연꽃 모양의 탑 모양으로, 고대 크메르 예술에 현대 예술을 더해서 만들었어요. 탑이 세워진 곳은 독립기념일과 같은 중요한 국가 행사를 치르는 중요한 장소예요.

휴양지

캄보디아에는 유명한 휴양지가 많아요. 캄보디아의 서남쪽에 있는 써이하누빌의 크고 작은 섬들과 해변가, 프랑스 식민지 시대부터 유명한 휴양지였던 캄보디아 남쪽에 있는 까엡의 해변을 관광객들이 많이 찾아요. 이 밖에도 관광객들은 배를 빌려 하루 동안 섬을 여행하거나 섬에 며칠씩 묵으며 휴가를 즐기기도 해요.

알아 두면 좋아요

캄보디아의 후추 산지인 '껌뽓'과 유명한 휴양지인 '까엡'은 소금 생산지로도 유명해요. 소금은 건기에 주로 만들어지는데, 바닷가에서 바닷물을 끌어들여 소금밭을 만들고 햇볕에 물을 증발시켜 소금을 얻어요. 많게는 30,000t 이상 소금을 생산하는데, 평균적으로 약 15,000t 이상을 꾸준히 생산하고 있어요. 슬로푸드국제본부에서는 껌뽓의 소금을 '맛의 방주'라는 칭호를 주고, 보존해야 하는 음식으로 지정했어요.

교통수단

캄보디아의 자동차는 우리나라처럼 오른쪽 차선에서 달려요. 자동차의 운전대도 우리나라처럼 왼쪽에 있어요. 캄보디아의 교통 체계가 프랑스와 비슷하기 때문이에요.

대중 교통

캄보디아는 프놈펜과 같은 대도시를 빼놓고는 버스 같은 대중교통이 잘 발달하지 않았어요. 가까운 거리를 움직일 경우에는 오토바이를 빌리거나 '똑똑'을 타요. 똑똑은 오토바이를 고쳐서 손님을 태우는 차로, 지붕은 있지만 문은 없어요. 태국의 똑똑과 비슷해요.

관광지에서는 씨클로라고 부르는 삼륜 자전거를 많이 타고, 비가 오거나 짐이 많을 때는 택시를 이용해요. 택시는 오토바이처럼 민첩하지는 않지만 스마트폰 앱을 통해 부를 수도 있어요.

기차

1970년대 내전이 일어나 철도가 대부분 망가졌어요. 이 때문에 캄보디아와 태국을 오가는 기차가 오랫동안 다니지 못했지요. 이 철도는 2018년에 이르러서야 프놈펜에서 빠오이빠엣에 이르는 385km의 철도가 다시 이어져 모든 구간에 기차가 다닐 수 있게 됐어요.

정부는 철도 시스템의 개발을 위해서 해외 원조를 받아들였어요. 이는 싱가포르와 중국 쿤밍을 잇는 고속철도 프로젝트에 속해요.

프놈펜 공항

비행기

캄보디아의 국제 공항은 모두 3개로, 프놈펜 국제 공항, 씨엄 리업 국제 공항, 써이하누빌 국제 공항이 있어요. 프놈펜 국제 공항과 씨엄리업 국제 공항은 매일 태국을 오가는 노선을 운 항하고, 써이하누빌 국제 공항은 전세기만 운항해요.
캄보디아의 국영 항공사는 캄보디아 앙코르 에어(Cambodia Angkor Air)예요. 캄보디아 앙코르 에어는 프놈펜, 씨엄리업, 써이하누빌을 오가는 국내선과 중국 광저우, 홍콩, 베트남, 태 국, 싱가포르 등 가까운 나라를 오가는 국제선을 운영하고 있 어요.

아시나요?
우리나라 사람이 캄보디아를 여행할 때는 비자를 받아야 해요. 비자를 받으면 30일 동안 캄보디아에 머물 수 있어요.

캄보디아는 어떻게 가야 할까?

우리나라 인천공항에서 캄보디아의 프놈펜 공항까지 직 항 비행기로는 약 5시간 30분 정도 걸려요. 인천공항에서 캄보디아의 씨엄리업 공항까지도 직항으로 5시간 30분 정도 걸리지요.
캄보디아 공항에서 내리기 전에 입국에 필요한 출입국 카 드, 세관신고서, 비자 신청서를 작성해서 제출해야 해요. 비자 신청서에 붙일 사진을 꼭 미리 준비해 주세요.

씨엄리업 공항

알아 두면 좋아요

캄보디아의 프놈펜, 씨엄리업, 껌뽓과 같은 대도시에서는 그랩(Grab)과 패스앱(PassApp)이라는 앱을 이용하면 편 리해요. 승용차나 씨클로를 부를 수 있을 뿐만 아니라 음 식 배달까지 된답니다.

21

축제와 기념일

캄보디아와 태국은 전통, 문화, 종교 등이 아주 비슷하기 때문에 캄보디아의 축제와 기념일은 태국과 비슷해요.

독립기념일

1953년 11월 9일은 독립기념일로, 캄보디아가 프랑스로부터 완전한 독립을 선포한 날이에요. 캄보디아의 독립기념일은 국경일이에요.

설날

캄보디아의 설날은 4월 14일~16일 사이예요. 캄보디아 사람들은 설날이 되면 고향으로 돌아가서 가족과 함께 지내거나 좋은 일이 일어나기를 기원하며 불상을 씻겨요. 또한 어른들께 물을 뿌리면서 은혜에 감사하며 축원을 드려요.

프쭘번 축제

프쭘번은 조상의 날이라는 뜻으로, 프쭘번 축제는 캄보디아 음력으로 10월에 열려요(양력으로 9월 정도). 축제가 시작되면 캄보디아 사람들은 사원에 가서

불공을 드리고 돌아가신 조상을 기리는 제사를 지내요. 밤이 되면 집에서 조상에게 음식과 새 옷을 올리는 제사를 지내고, 제사상에 올린 음식을 나누어 먹어요.

본음뚝, 보트 경주 대회

본음뚝 축제는 캄보디아를 대표하는 물 축제예요. 캄보디아 음력으로 12월 15일(양력으로 보통 11월)에 시작해요. '본'은 행사, '음뚝'은 노를 젓는다는 뜻으로, 특히 캄보디아 전 지역에서 벌어지는 보트 경주 대회가 유명해요. 길고 날씬한 배에 50여 명이 타고 한꺼번에 노를 젓는 모습이 장관을 이루지요. 메콩강, 똔레쌉강, 바싹강이 만나는 프놈펜 왕궁 앞에서 열리는 보트 경주 대회에는 전국에서 수많은 사람들이 몰려요.

아시나요?
캄보디아의 11월은 보트 경기를 하기에 아주 알맞은 계절이에요. 제방에 물이 꽉 차오르고 날씨가 선선하며 비도 잘 오지 않기 때문이에요.

번다엣쁘러띱

번다엣쁘러띱은 본음똑 축제가 열리는 날 밤에 열려요. 이날 정부기관이나 단체는 배에 앙코르와트, 쁘라싯 바이욘, 독립기념탑, 여러 신들, 춤추는 여신인 압싸라, 그리고 문학 작품이나 설화 속에 나오는 동물 등의 모양을 불빛으로 아름답게 장식하고 강물에 띄워요. 번다엣쁘러띱은 농사를 짓는 사람들이 물의 여신인 강가에게 감사를 들이고, 물을 더럽힌 것에 대해 용서를 비는 뜻이 있어요.

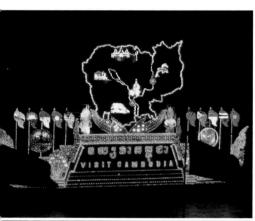

캄보디아와 불교

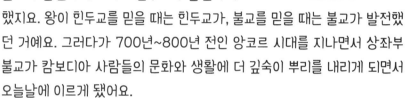

캄보디아 국민의 95% 정도가 상좌부 불교를 믿어요. 나머지 국민들은 이슬람교, 기독교, 민간신앙 등을 믿지요. 역사학자들은 인도에서 힌두교와 함께 불교가 들어왔을 것이라고 생각하고 있어요. 초기에는 왕에 따라서 불교가 발전하기도 하고 힌두교가 발전하기도 했지요. 왕이 힌두교를 믿을 때는 힌두교가, 불교를 믿을 때는 불교가 발전했던 거예요. 그러다가 700년~800년 전인 앙코르 시대를 지나면서 상좌부 불교가 캄보디아 사람들의 문화와 생활에 더 깊숙이 뿌리를 내리게 되면서 오늘날에 이르게 됐어요.

캄보디아 불교의 위기

크메르루즈가 캄보디아를 통치하던 1975년~1979년까지 캄보디아에서 불교는 크게 쇠퇴했어요. 크메르루즈는 불교를 비롯한 모든 종교를 믿지 못하도록 강요했기 때문이에요. 이때 6만여 명의 승려가 목숨을 잃고, 수많은 사원은 파괴됐어요. 목숨을 건진 승려들도 농촌에서 농민들과 함께 일을 해야 했지요. 캄보디아 인민 공화국(1979년~1993년)이 들어서자 불교는 제자리를 찾기 시작했어요. 인민 공화국 정부는 1991년에 불교를 국교로 선포했고, 불교는 캄보디아 사람들의 삶의 한 부분으로 돌아왔어요.

캄보디아 사람들의 일상생활

캄보디아의 인구는 우리나라 인구의 약 $\frac{1}{3}$ 정도예요. 대부분은 똔레쌉호나 메콩강 주변의 평지에 살고 있어요.

사는 곳

대부분의 캄보디아 땅은 지대가 낮아서 비가 많이 오면 물에 잠기는 경우가 많아요. 그래서 농촌 사람들은 홍수가 나더라도 피해를 입지 않도록 마루가 높은 나무집을 짓고 살았어요. 홍수가 없을 때는 마루 아래에서 가축을 기르기도 했지요. 그러나 지금은 집을 더 많이 이용하기 위해 2층으로 집을 짓는 경우가 많아요. 아래층은 벽돌과 시멘트로 짓고, 위층은 나무로 지어요.

알아 두면 좋아요

미국 영화 〈툼레이더〉는 캄보디아의 쁘라쌋 따프룸을 배경으로 찍은 영화예요. 쁘라쌋 따프룸은 쩨이워라만 7세가 왕위에 오르면서 어머니의 극락왕생을 빌기 위해 지은 사원이에요. 쁘라쌋 따프룸에서는 거대한 열대 나무인 용수 뿌리가 유적을 뚫고 자라고 있는 모습을 눈앞에서 볼 수 있어요.

신문

캄보디아에서 신문을 읽는 사람은 거의 대부분 사업가예요. 대부분의 사람들은 라디오나 텔레비전을 통해 소식을 듣거나 보는 것을 더 좋아하는데, 문자를 읽지 못하는 사람도 꽤 있기 때문이에요.

프놈펜 같은 대도시에서만 신문을 살 수 있어요. 크메르어 일간지로 유명한 신문은 《라쓰머이 깜뿌찌어》, 《꺼썬떼피업》 등이 있고 영자 신문으로 유명한 것은 《프놈펜 포스트》, 2017년에 폐간된 《캄보디아 데일리》가 있어요.

텔레비전과 라디오

캄보디아에는 지상파 방송국이 여러 곳이 있어요. 집집마다 거의 텔레비전이 있지요. 또한 라디오를 통해 전국적으로 보내지는 뉴스와 다양한 프로그램을 즐겨요.

통신

캄보디아 사람들은 대부분 휴대 전화를 가지고 있어요. 휴대 전화는 유선 전화보다 쉽게 개통되고, 가격도 비싸지 않아요. 지역과 지역을 연결하는 전화선이 발전하지 않았기 때문에 유선 전화를 많이 쓰지 않아요. 그래서 프놈펜 같은 대도시에 사는 사람들을 중심으로 유선 전화를 이용하고 있어요.
캄보디아의 국제 전화 국가 번호는 855번이에요.

휴일 보내기

프놈펜에 사는 캄보디아 사람들은 토요일이나 일요일, 휴일에는 백화점을 가거나 친구들을 만나 즐거운 식사 시간을 가져요. 저녁 시간에는 공원에 나가 운동하는 것을 좋아하고, 프놈펜 왕궁 앞의 강변에서 휴식하는 것도 아주 좋아해요.
캄보디아 사람들은 휴가 때는 다른 지역으로 여행을 떠나요. 그러나 설날이나 프쭘번 축제 기간에는 고향으로 돌아가서 가족들과 함께 사원에 가서 부처님께 공양을 드리고 조상에게 제사도 지내요.

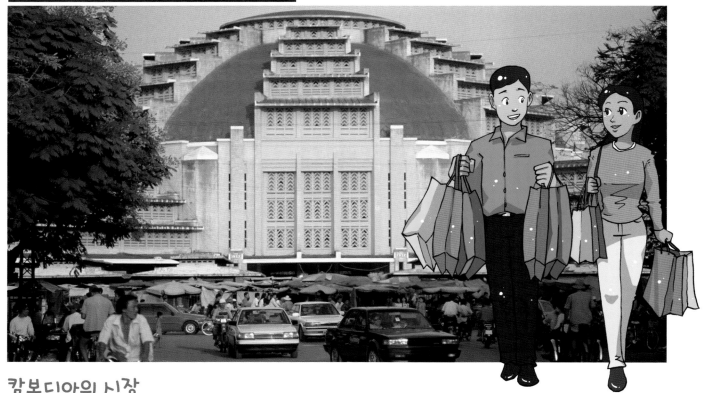

캄보디아의 시장

캄보디아에서 가장 큰 시장은 프놈펜에 있는 프싸톰트머이 시장이에요. 프싸톰트머이 시장은 1937년에 문을 열었는데, 당시 아시아에서 가장 큰 시장이었다고 해요. 2011년에 프랑스의 도움을 받아 시장을 새롭게 꾸몄어요. 백화점으로는 쏘리야 백화점, 이온몰 등이 있어요. 이 밖에도 다이아몬드섬이라고 부르는 꺼쁫에는 수많은 음식점과 놀이 시설이 들어서 있는데, 이곳은 어린이들을 위한 놀이동산과 비슷해요.

옷차림

전통 복식

캄보디아의 전통 복식을 보면 라오스, 태국과 비슷해요. 여성의 상의로 어깨가 부풀어 오른 통소매에 목이 둥글게 파인 블라우스를 입고 기다란 쓰바이를 둘러요. 하의는 몸에 붙는 긴 치마나 썸봇 쩡끄번이라고 하는 바지를 입지요. 남성의 상의는 통소매에 깃을 세운 셔츠를 입고, 하의는 썸봇 쩡끄번을 입거나 양복 바지를 입기도 해요.

아시나요?

옛날 태국 왕실에서 귀족들에게 선물로 내려 주었던 '쏨빡'이라는 천의 이름은 캄보디아의 '썸봇'에서 전해진 것으로 보고 있어요.

썸봇

썸봇은 전통 복식으로, 종류가 다양해요. 때와 장소에 따라 골라 입지요. 예를 들면 썸봇 쩡끄번은 결혼식이나 중요한 행사 때 입거나 춤을 출 때 입어요. 썸봇 홀은 여성이 사원에 가거나 행사에 갈 때 입지요. 이 외에도 썸봇 파무엉, 썸봇 떱압싸라 등 다양한 썸봇이 있어요.

끄러마

끄러마는 체크무늬의 긴 천으로, 캄보디아 사람들에게 꼭 필요한 물건이에요. 끄러마는 뜨거운 햇볕을 막는 두건으로, 물건을 싸는 보자기로, 아이를 재우는 포대기로도 써요. 또한 묶어서 바구니처럼 쓰기도 하고, 바닥에 깔아서 자리처럼 쓰기도 해요. 지역마다 자신들의 고유한 무늬를 넣어 만들어요. 캄보디아 사람들은 빨간색과 흰색이 섞인 체크무늬와 파란색과 흰색이 섞인 체크무늬를 가장 좋아해요.

교복

캄보디아의 남학생들은 대체로 흰색이나 연한 하늘색으로 된 반팔 셔츠나 긴팔 셔츠를 입고, 검은색이나 파란색으로 된 짧은 바지나 긴 바지를 입어요. 여학생들은 흰색이나 연한 하늘색으로 된 반팔 셔츠나 긴팔 셔츠를 입고, 긴 썸봇이나 파란색 치마를 입어요.

교육

캄보디아의 어린이들은 6세에 초등학교에 입학해요. 초등학교에서 6년, 중학교에서 3년을 공부하면 9년에 걸친 의무 교육 기간이 끝나요. 그 뒤 고등학교에서 3년을 공부한 뒤 대학교에 진학해요.

개학과 방학

캄보디아에도 공립학교와 사립학교가 있어요. 공립학교는 10월에 개학을 하여 캄보디아 설날을 전후로 2주 동안 잠깐 쉬고 그 뒤로 7월까지 계속 공부해요. 공립학교의 방학은 8월부터 9월까지예요. 사립학교는 학교에 따라 개학과 방학 시기가 달라요.

2부제 수업

학생들은 일주일에 6일간, 즉 월요일부터 토요일까지 학교에 가서 공부해요. 그중 초등학교 학생들은 오전반과 오후반으로 나뉘어 2부제로 수업하지요. 학생 수에 비해 교실이 모자라고 교사가 부족하기 때문이에요. 2부제로 수업을 하지만 수업이 없는 시간에도 특별 수업을 받는 학생이 많아요. 중학교 학생들은 하루에 4시간씩 수업을 받아요.

더 나은 내일을 위한 학업

정해진 대학 입학 시험이 없고, 교육부에서 출제한 고등학교 졸업 자격 시험을 통과하면 4년제 대학교 입학 자격을 얻고 대학을 선택할 수 있어요. 물론 별도의 시험을 쳐야 입학이 가능한 대학과 학과도 있어요. 캄보디아의 고등학교 3학년들은 졸업 자격 시험을 통과하기 위해 아주 열심히 공부해요.

알아 두면 좋아요

캄보디아에서 가장 유명한 대학인 프놈펜 왕립 대학교(RUPP)는 2007년 캄보디아 대학으로는 처음으로 한국어과를 만들었어요. 2008년에는 밧덤벙 주립 대학교에서도 한국어과를 만들었어요. 현재 캄보디아 대학에 한국어과가 꾸준히 늘고 있어요.
프놈펜 왕립 대학교 한국어과에서는 대한민국 교육부가 주관하고 있는 한국어 능력시험인 토픽(TOPIK)을 3급 이상을 얻어야 졸업할 수 있어요.

선호하는 과목

프놈펜에 사는 대부분의 학생들은 외국어 공부를 아주 열심히 해요. 학생들이 많이 배우는 외국어로는 영어, 중국어, 한국어, 일본어, 태국어 등이에요. 그 밖에도 학생들은 물리, 화학, 수학, 문학 과목을 좋아해요.

맛있는 음식들

캄보디아 사람들은 우리나라처럼 쌀을 주식으로 먹고, 생선이 들어간 음식을 많이 먹어요. 음식은 대체로 짜면서도 약간 매운 맛이에요. 음식의 종류에 따라 신맛과 단맛을 내기도 해요.

훈제 생선

생선 요리

캄보디아 강과 똔레쌉호에는 다양한 물고기들이 살아요. 캄보디아 사람들은 가물치류, 메기류, 잉어류 등의 민물 생선을 잡아 연기에 쏘여서 말린 훈제 생선을 주로 만들어요. 훈제 생선은 무침이나 국 등 여러 음식의 재료로 이용하지요. 또한 다양한 채소와 함께 먹는 캄보디아식 젓갈인 쁘러혹도 아주 유명해요. 신선한 생선은 채소를 넣어서 끓이는 썸러므쭈뜨러이와 같은 신맛이 나는 국물 요리에 넣어 먹어요.

캄보디아 사람들이 가장 즐겨 먹는 생선 요리는 아목뜨러이예요. 아목뜨러이는 바나나잎에 커리를 같이 넣고 쪄서 만들어요. 아목뜨러이와 비슷한 태국 요리는 허목쁠라, 라오스 요리는 목빠예요.

후추 소스, 뜩므렛

캄보디아 사람은 후추소스인 뜩므렛을 즐겨먹어요. 특히 고기를 먹을 때 많이 곁들여 먹지요. 뜩므렛은 액젓인 뜩뜨러이에 후추와 소금을 넣고 라임즙과 섞어서 먹는 소스예요.

알아 두면 좋아요

쁘러혹은 캄보디아식 젓갈이에요. 똔레쌉호와 메콩강에서 잡히는 '리얼'이라는 민물고기로 만들어요. 쁘러혹을 만들려면 먼저 생선의 머리와 내장, 지느러미를 깨끗하게 손질해요. 그런 다음 대나무 소쿠리에 담아 살을 완전히 으깨서 햇볕에 1일~2일을 말려요. 말린 생선을 소금에 절여서 커다란 항아리에 담고 대나무로 만든 뚜껑을 닫아 발효시켜요. 짧게는 30일에서 길게는 3년 동안 발효시키는데, 오래될수록 좋아요.

눔빠빠데

캄보디아 사람들은 프랑스의 영향을 받아 프랑스 사람들이 즐겨 먹는 바게트 빵과 비슷한 눔빠빠데를 즐겨먹어요. 빵을 길게 자르고 그 안에 오이, 새콤하게 절인 양배추, 채를 썬 소시지 등을 넣고 스위트 칠리 소스를 뿌려서 먹어요. 이때 통조림 생선과 같이 먹으면 더 맛있어요.

꾸이띠어우

캄보디아 사람들은 쌀국수를 꾸이띠어우라고 해요. 캄보디아에는 쌀국수 가게를 하는 중국계가 많은데, 이들이 만든 쌀국수의 맛이 좋아 캄보디아 사람들에게 인기가 많아요. 캄보디아 쌀국수의 특징은 생숙주를 곁들여 먹고, 라임즙, 고추기름, 캄보디아식 된장으로 양념을 한다는 점이지요.

달콤한 후식

캄보디아의 후식은 코코넛 밀크와 연유를 많이 써서 달콤하고 고소해요. 바나나잎에 싸서 찐 떡인 눔쩍은 가장 흔한 후식이에요. 잘 익은 망고를 곁들인 망고찹쌀밥이나 단호박으로 만든 호박카스터드 등도 인기가 있어요.

캄보디아식 빙수도 아주 인기 있는 후식이에요. 곱게 간 얼음에 콩, 팥, 대추, 바나나, 말린 과일, 생과일, 채소 등을 올리고 시럽과 연유를 끼얹어서 먹어요.

생선 요리

날 생선, 말린 생선, 젓갈을 가지고 다양한 음식을 만들어요. 여기에 각종 채소와 향신료를 곁들인 캄보디아 음식은 건강에 좋은 음식이에요.

아목

아목은 캄보디아 사람들이 아주 즐겨 먹는 음식이에요. 생선살에 각종 향신료를 섞어서 만들어요. 처음 막 쪄서 내면 향신료의 향이 아주 좋아요. 쌀밥과 어울리는 음식으로, 한끼 식사로 충분해요.

다음에 소개하는 요리법은 매운맛을 좋아하지 않는 사람을 위해 아주 맵지 않도록 했어요.

사용 재료

가물치 400g	양배추 작은 통 1개	말린 고추 1개	깐 마늘 3쪽
샬롯 1개	다진 레몬그라스 1큰술	다진 갈랑갈 1작은술	다진 생 강황 1작은술
라임잎 1장	가는소금 반 작은술	쁘러혹 1큰술	새우장 1작은술
달걀 1알	절구와 절굿공이	칼과 도마	큰 대접
중간 대접 2개	찜기	숟가락 1개	오븐 장갑

만드는 법

1. 마른 고추를 갈라 씨를 빼내고, 물에 담가 5분 정도 불린 후에 건져서 잘게 썰어요.

2. 껍질을 벗긴 마늘과 샬롯, 그리고 잘게 썬 라임잎은 절구에 넣어요. 이때 고추 썰어 둔 것, 레몬그라스, 갈랑갈, 생 강황을 같이 넣고 소금으로 간을 하며 곱게 찧어요.(절구를 사용할 때는 고추가 튀어 눈에 들어 갈 수도 있으니 조심해야 해요.)

3. 달걀을 큰 대접에 깨트려 넣고 새우장과 쁘러혹을 넣어요. 이 때 찧어 둔 고추 양념을 같이 넣어 골고루 잘 섞어요.

4. 가물치는 한입에 먹기 좋게 썰고 양념이 고르게 배도록 살살 저어 가며 섞어요.

5. 양배추는 듬성듬성 썰어서 끓는 물에 데쳐요. 양배추가 잘 익으면 꺼내서 찬물에 헹군 다음 물기를 없애요.

6. 중간 대접의 바닥에 양배추를 깔고 생선을 덜어서 대접을 채워요.

7. 생선 대접을 찜기에 넣고 뚜껑을 닫은 후에 약한 불에서 약 20분 동안 쪄요.

8. 찜기의 뚜껑을 열어요. (찜기의 뚜껑이 매우 뜨겁고 뜨거운 김이 올라오기 때문에 뚜껑을 열 때는 조심해야 해요. 뚜껑을 만질 때는 꼭 오븐 장갑을 낄 것!) 다 익은 아목을 꺼내서 따뜻한 밥과 같이 먹어요.

맛과 영양

아목은 맛이 뛰어날 뿐만 아니라 영양가도 많은 음식이에요. 생선살과 달걀은 단백질이 있고, 양배추는 인과 칼슘이 있어 뼈와 이를 튼튼하게 해요. 샬롯, 레몬그라스, 갈랑갈, 라임잎은 복부의 가스를 내보내고 혈액 순환에 도움을 주어요. 이 밖에도 쁘러혹, 새우장, 소금 속의 요오드는 갑상선 질환을 예방해요.

음악과 무용

캄보디아의 민속 음악은 고대 크메르 제국에서 이어진 전통 음악과 주변 나라의 영향을 받아 만들어졌어요. 그래서 라오스, 태국, 베트남, 인도네시아 등과 비슷해요. 또한 힌두교의 영향을 많이 받았어요. 캄보디아의 무용도 힌두교 신화를 주제로 춤을 추어요.

따케(끄러쁘)

따케는 악어의 모양을 한 악기로, 태국의 '짜케'라는 악기와 아주 비슷해요. 3개의 현이 있고 악기의 몸통은 3~5개의 발이 지지하고 있어요. 연주를 할 때는 연주자가 악기의 옆에 앉아서 왼손으로는 현의 위아래를 오르내리고 오른손으로는 얇은 나무 막대기로 현을 튕기면서 소리를 내요. 결혼식에서 주로 연주하는 악기예요.

알아 두면 좋아요

캄보디아의 전통 악단은 주로 타악기로 연주하는 '삔삐엇'과 다양한 악기로 연주하는 가장 대중적인 악단인 '마호리'로 나눌 수 있어요. 삔삐엇 악단은 북과 같은 '섬포', 피리와 같은 '클로이', 실로폰과 비슷한 '로니엇 엑' 등의 악기로 이루어져 있어요. 마호리 악단은 삔삐엇에서도 연주하는 '로니엇 엑'을 비롯하여 우리나라 해금과 비슷한 '뜨로', 악어 모양의 악기인 '따케', 피리인 '클로이' 등의 악기로 이루어져 있어요.

무용 교육

캄보디아에서는 어린이, 특히 여자 어린이들은 어릴 때부터 현대 무용을 비롯하여 전통 무용과 음악 교육을 많이 받아요. 캄보디아 관광업에서 무용 공연으로 벌어들이는 수입이 크기 때문에 정부에서는 무용 교육을 지원하고 있어요.

압싸라 댄스

앙코르와트의 회랑 벽면에는 '천상의 춤추는 여신'이라는 뜻을 가진 압싸라 1,635명의 부조가 조각되어 있어요. 압싸라 부조는 매우 섬세하게 조각되어 있는데, 모두 다른 모습이에요. 캄보디아에서 가장 유명한 공연인 압싸라 댄스는 앙코르와트의 압싸라 부조에서 따온 동작으로 만들었어요. 압싸라 댄스를 추는 모든 무용수는 여성이지요.

스포츠와 놀이

크메르루즈가 캄보디아를 다스리던 시절에 캄보디아에서는 어떤 오락도 할 수 없었어요. 크메르루즈가 물러난 뒤에야 캄보디아 사람들은 오락을 다시 즐길 수 있게 됐어요.

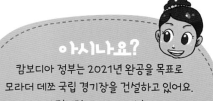

아시나요?
캄보디아 정부는 2021년 완공을 목표로 모라더 데쪼 국립 경기장을 건설하고 있어요. 이 경기장에서 2023년에 동남아시아 경기 대회가 열릴 거예요.

축구

캄보디아 사람들은 축구를 하는 것도, 관람하는 것도 아주 좋아해요. 캄보디아에서 가장 큰 축구 경기장은 50,000명이 들어갈 수 있는 프놈펜 국립 경기장이에요. 캄보디아 축구 대표 팀은 캄보디아 축구 연맹에서 관리하고 있어요.

짭꼰끌렝

짭꼰끌렝은 우리나라의 '꼬리잡기'와 비슷한 놀이예요. 먼저 두 팀으로 나누어서 한 팀은 어미 닭과 병아리가 되어 서로 허리를 잡고 늘어서고, 다른 한 팀은 까마귀가 되어서 병아리를 잡아요. 제일 앞에 선 어미 닭이 허리춤을 잡고 있는 병아리들을 보호하려고 두 팔을 벌려서 까마귀를 막아요. 놀이를 할 때는 서로 노래를 주고받으면서 놀지요.

레억껀싸엥

레억껀싸엥은 우리나라의 '수건돌리기'와 비슷해요. 먼저 술래를 정하고, 나머지 아이들은 모두 둥글게 앉아요. 술래는 수건을 손에 들고 아이들 주변을 빙빙 돌고, 앉아 있는 아이들은 노래를 부르면서 자신의 뒤쪽에 수건이 떨어져 있는지 손으로 살펴요. 이때 수건이 놓인 것을 알아차린 사람이 술래가 자리에 앉기 전에 쫓아가서 잡으면 이기는 놀이예요.

신세대 예술가

크메르루즈 시대가 끝난 뒤 캄보디아의 예술계는 활기를 띠기 시작했어요. 세계적으로 이름을 알린 캄보디아 신세대 예술인들이 여러 명 나왔어요. 그중 후이 보짠는 60년대 음악을 가져와 시대에 맞는 음악으로 새롭게 만들어 이름을 떨친 작곡가이자 가수예요.

타 피업과 멈 리싸는 거리 미술로 유명한 예술가들이에요. 이들의 뛰어난 작품은 여러 나라에서 전시됐으며 세계적인 여러 대기업과 함께 디자인 작업을 했어요.

예술과 공예

캄보디아에서 가장 유명하고 뛰어난 예술은 석조 조각이에요. 캄보디아의 석조 사원에는 여러 신, 압싸라, 왕, 군대, 마을 주민 그리고 각종 동물에 이르는 다양한 조각이 새겨져 있어요. 석조 조각은 천 년을 캄보디아와 함께했어요. 이 밖에도 바구니 세공과 직물도 눈에 띄는 캄보디아의 공예품이에요.

사암의 문양

캄보디아는 앙코르 시대뿐만 아니라 앙코르 시대 이전부터 신에게 바치는 석조 사원을 짓는 것이 인기였어요. 대개는 산에서 파낸 바위로 지었지요. 앙코르 와트는 씨엄리업에서 40km 정도 떨어진 프놈꿀랜에서 가져온 바위로 지은 사원이에요. 때로는 쁘라싯 바이온처럼 라테라이트(홍토)와 나무로 바위 위에 여러 가지 이야기를 새겨서 장식하기도 했어요. 쁘라싯 바이온의 벽면에는 전쟁과 당시 주민들의 생활상이 새겨져 있어요.

알아 두면 좋아요

사암은 캄보디아에서 구하기 아주 어려운 재료였어요. 앙코르 와트를 지을 때 사용된 사암은 프놈꿀랜에서 가져왔는데, 캄보디아 사람들은 프놈꿀랜을 신성한 곳으로 여겼어요.

캄보디아 실크

캄보디아 사람들은 약 1,000년 전부터 뽕나무를 기르고 누에를 쳐서 실크를 짰어요. 캄보디아의 실크는 붉은 벽돌색, 검은 밤색, 파란색 등의 천연색을 띠고 있어요. 홀치기 염색을 하거나 베틀에서 실을 늘어놓고 무늬를 만들어요. 실크로 옷을 만들어 입거나 중요한 장소를 장식하기도 해요.

실크의 주요 생산지는 따까에우, 벗덤벙, 번띠어이미언쩨이, 씨엄리업, 껌뻣 주 등이에요. 그러나 크메르루즈가 나라를 통치하던 시대에 뽕나무가 너무 많이 사라졌기 때문에 누에를 키울 수 없어서 최근에는 생사를 베트남과 중국에서 들여오지요.

인칭 대명사

크메르어는 예의를 지켜야 하는 사람에게 쓰는 인칭 대명사와 친밀하고 가까운 사람에게 쓰는 인칭 대명사가 달라요. 그래서 인칭 대명사를 잘 알아서 적절하게 쓸 수 있어야 해요.

크메르어	발음	뜻
ខ្ញុំ	크뇸	나(남자/여자)
នាងខ្ញុំ	니엉크뇸	나(여자)
លោក	록	남자를 높여 부를 때
លោកស្រី	록쓰러이	여자를 높여 부를 때
អ្នក	네어	당신(보편적 2인칭 대명사)
គាត់	꼬엇	그
ពួកខ្ញុំ	뿌어크뇸	우리
ពួកយើង	뿌어영	우리
បាទ	밧	예(남자 화자가 사용)
ចាស	짜	예(여자 화자가 사용)

공손한 인사

캄보디아 사람들은 인사를 할 때 두 손을 앞에 모으고 고개를 조금 숙여요. 나이가 어리거나 지위가 낮은 사람이 먼저 인사를 해요.

크메르어로 말해 보기

다음은 일상생활에서 캄보디아 사람들이 많이 쓰는 말이에요. 이 책의 끝부분에도 크메르어 회화가 더 많이 실려 있어요. 문장들을 배우고 잘 기억해 두었다가 캄보디아 친구와 크메르어로 이야기해 보세요.

크메르어	발음	뜻
ជម្រាបសួរ	쭘리업쑤어	안녕하세요?
សួស្តី	쑤어쓰더이	안녕?
ជម្រាបលា	쭘리업리어	안녕히 가십시오.
លាហើយ	리어하어이	잘 가요.
អរគុណ	어꾼	고마워요.

전래 동화

캄보디아의 전래 동화는 단지 재미있는 이야기만은 아니에요. 쁘레어 꼬와 쁘레어까에우 이야기나 쁘레어타옹과 니엉니어 이야기는 건국에 관한 유래와 캄보디아 역사에 관한 것들을 알려 주어요.

캄보디아 역사가 언제 시작했는지는 정확하지 않아요. 그러나 쁘레어타옹과 니엉니어 이야기를 통해 캄보디아 역사가 언제 시작했는지 짐작할 수 있으며 캄보디아 사람들이 뱀의 신인 나가의 혈통을 이어받았다는 믿음을 갖게 된 이유를 알 수 있어요. 또 이 이야기를 통해 캄보디아 결혼식 풍습의 유래도 알 수 있지요.

옛날, 부처님이 꼭틀록섬에 갔을 때였어요. 그 섬에 살던 왕도마뱀이 부처님을 뵙고 세 번 머리를 조아리며 인사를 드렸어요. 부처님은 꼭틀록섬이 장차 아주 큰 왕국이 될 것이라 예언하면서 왕도마뱀은 사람으로 다시 태어나 그 왕국의 첫 왕이 될 거라고 했어요.

수백 년이 흘러 왕도마뱀은 인드라폿 왕국을 다스리는 아띳웡 왕의 아들 쁘레어타옹으로 태어났어요. 쁘레어타옹은 아버지가 동생에게 나라를 물려줄 것이라고 잘못 생각해서 아버지와 싸웠어요. 하지만 싸움에 패해서 쫓겨나고 말았어요.

인드라퐂 왕국에서 쫓겨난 쁘레어타옹은 계속 세상을 떠돌며 여행했
어요. 어느 날, 쁘레어타옹은 꼭틀록섬에 도착해서 이 섬에서 하루를
묵어 가기로 했어요.

마침 나가 왕의 딸 티어리어왓떠이 공주가 물놀이를 하려고 섬으
로 왔어요. 쁘레어타옹과 티어리어왓떠이 공주는 보자마자 사랑
에 빠졌어요.

쁘레어타옹은 티어리어왓떠이 공주와 결혼하기 위해 재물을 들고 나
가 왕에게 갔어요. 나가 왕은 쁘레어타옹에게 어디서 온 누구인지 물
었어요. 쁘레어타옹은 자신이 인드라퐂 왕국의 왕자라고 했어요. 그
말을 들은 나가 왕은 결혼을 허락했어요. 그러고는 꼭틀록섬 주변의
물을 전부 빨아들여 새로운 도시를 세우고, 이 도시의 이름을 캄푸찌
어티빠떠이라고 했어요. 지금도 캄보디아의 사람들은 자신들이 뱀의
신인 나가의 후손이라고 믿고 있어요.

결혼식 날, 쁘레어타옹은 용궁으로 내려가야 했어요.
티어리어왓떠이 공주는 쁘레어타옹에게 자신의 옷
을 붙잡고 따라오라고 했어요. 결혼식이 끝난 후에는
쁘레어타옹을 데리고 물위로 돌아왔지요.
이 이야기는 캄보디아 사람들의 결혼식 풍습의 유래
를 말해 주고 있어요. 티어리어왓떠이 공주의 옷을
붙잡고 용궁으로 내려간 쁘레어타옹처럼 캄보디아
의 결혼식에서는 신랑이 신부의 옷을 붙잡고 집으로
들어가야 해요.

역사

캄보디아의 역사는 매우 길어요. 그 동안 번영을 누리던 시기도 있었고, 다른 민족의 지배를 받던 시기도 있었어요. 또한 여러 나라로 갈라진 시기에는 전쟁으로 수많은 사람이 목숨을 잃기도 했어요.

크메르 제국

아주 오랜 옛날, 사람들이 하나둘씩 들어와 자리를 잡고, 이들이 힘을 합쳐 왕국으로 발전했어요. 푸난 왕국(1세기~6세기)과 육지쩬라 왕국, 수쩬라 왕국(6세기~9세기)이 세워졌고, 802년에 쩨이워라만 2세가 쩬라 왕국과 나라를 합쳐 깜부차데사, 즉 크메르 제국을 세웠어요. 크메르 제국은 9세기~15세기까지 캄보디아를 다스렸어요. 이 시기에 캄보디아는 모든 면에서 눈부신 발전을 이루었어요. 위대한 앙코르와트, 아름다운 쁘라쌋 번띠어이쓰러이, 쁘라쌋 바이온, 쁘라쌋 프레어위히어 같은 사원이 크메르 제국 때 세워진 거예요. 크메르 제국의 중심지는 씨엠리업이에요.

알아 두면 좋아요

《진랍풍토기》는 13세기 말 중국 원나라의 사신 '주달관'이 1년간 크메르 제국을 방문하고 쓴 여행기예요. 주달관이 크메르 제국을 방문했던 시기는 쩨이워라만 8세 때예요. 이 책은 8,500자밖에 되지 않지만 13세기의 캄보디아의 정치, 경제, 사회, 문화, 풍습, 언어, 중국계의 삶 등에 관해 역사적인 가치는 물론이고 문화적인 가치도 아주 높은 책이에요.

태국과 베트남의 지배를 받다

크메르 제국은 아유타야 왕국의 공격으로 점차 약해졌어요. 결국 1431년에 크메르 제국의 왕은 수도를 앙코르에서 프놈펜으로 옮겼어요. 그 후에도 태국과 베트남은 캄보디아 땅을 계속 침략했어요. 1847년에 태국과 베트남은 협정을 맺었는데, 태국은 캄보디아 왕을 정할 수 있는 권리를 갖고 베트남은 캄보디아로부터 공물을 받기로 했지요.

프랑스의 식민지가 되다

1863년 8월 11일 노르덤왕은 베트남과 태국의 지배를 받지 않기 위해 캄보디아가 프랑스의 보호를 받는 데 동의했어요. 프랑스는 처음에 캄보디아 왕이 국가를 통치할 수 있는 자유를 주었어요. 하지만 프랑스가 베트남을 차지한 뒤에는 캄보디아 왕의 권리를 빼앗고, 직접 프랑스가 캄보디아를 통치했어요.

그 뒤에 써이하누왕은 프랑스로부터 캄보디아의 독립을 되찾는 데 앞장섰고, 마침내 1953년 11월에 완전한 독립을 얻었어요.

혼란을 겪다

캄보디아는 프랑스로부터 독립을 한 뒤에 혼란에 휩싸였어요. 서로 다른 세력들이 권력을 차지하려고 쿠데타, 내전을 일으켰을 뿐만 아니라 베트남과 전쟁까지 치러야 했어요. 나라 이름도 크메르 공화국, 민주 캄보디아, 캄보디아 인민 공화국 등으로 여러 차례 바뀌었어요. 1991년에 캄보디아의 여러 세력들은 싸움을 끝내자는 데 합의하였고, 1993년에 유엔(UN)의 감독하에 총선거가 실시됐어요.

역사 속 인물

쏘리야워라만 2세

쏘리야워라만 2세는 1113년~1150년 사이에 크메르 제국을 다스렸어요. 세계에서 가장 큰 사원인 앙코르와트를 세운 왕으로도 유명해요. 그는 주변의 여러 왕국과 전쟁을 하여 캄보디아의 영토를 지금의 미얀마인 푸캄까지 넓혔어요.

노르덤 써이하누

전 캄보디아의 왕이었던 노르덤 써이하누는 프랑스로부터 독립을 선언한 왕이에요. 그 후 인민사회주의 공동체를 만들기 위해 왕의 자리에서 물러났어요. 또한 총리, 국가 원수를 맡아 캄보디아의 정치에 관여했어요.

1993년에 캄보디아가 입헌 군주국이 되자 다시 왕이 됐어요. 2004년에 아들인 노르덤 씨하모니에게 왕위를 물려주었고 2012년 세상을 떠났어요.

훈센

캄보디아의 최고 군사령관이자 총리였던 썸닷 훈센은 껌뽕짬의 농촌 가정에서 태어났어요. 크메르루즈가 통치하던 시대에 반크메르루즈 군대에 들어가 깜뿌찌어 민족구국통일전선을 결성하였어요. 크메르루즈 시대 이후 훈센은 27세의 젊은 나이에 외무부 장관이 됐고, 33세에 총리가 됐어요. 또한 2007년 10월에 씨하모니 국왕은 '썸닷 아께어 모하 쎄나 빠더이 데쪼'라는 직위를 내려 주었어요. 썸닷 훈센은 30년 이상 캄보디아를 통치하고 있으며 오늘날 캄보디아에서 가장 큰 영향력이 있는 인물이에요.

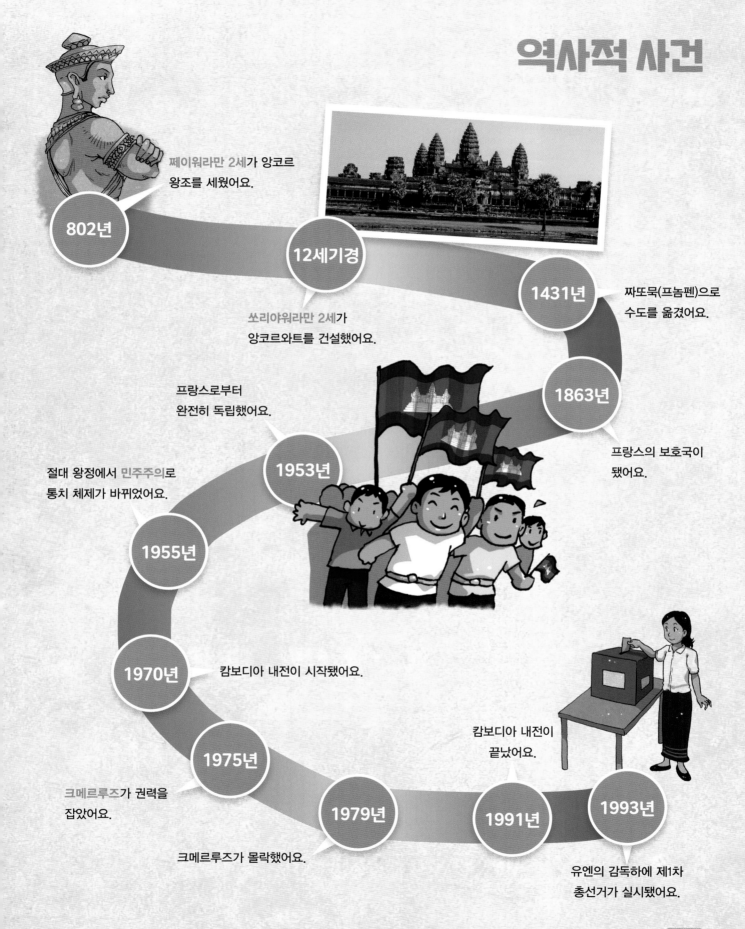

802년
쩨이워라만 2세가 앙코르 왕조를 세웠어요.

12세기경
쏘리야워라만 2세가 앙코르와트를 건설했어요.

1431년
짜또묵(프놈펜)으로 수도를 옮겼어요.

1863년
프랑스의 보호국이 됐어요.

1953년
프랑스로부터 완전히 독립했어요.

1955년
절대 왕정에서 민주주의로 통치 체제가 바뀌었어요.

1970년
캄보디아 내전이 시작됐어요.

1975년
크메르루즈가 권력을 잡았어요.

1979년
크메르루즈가 몰락했어요.

1991년
캄보디아 내전이 끝났어요.

1993년
유엔의 감독하에 제1차 총선거가 실시됐어요.

45

캄보디아와 아세안

캄보디아는 1999년 4월 30일에 아세안(동남아시아 국가연합) 회원국으로 가입했어요. 베트남의 하노이에서 정식으로 캄보디아의 열 번째 아세안 회원국 가입식이 열렸어요.

캄보디아는 아세안 정상회의 의장을 세 번 맡았어요. 첫 번째는 2002년 11월 4일부터 5일까지 프놈펜에서 열린 제8차 아세안 정상회의였어요. 이 회의에서는 대테러 공동 선언이 채택됐어요.

두 번째는 2012년 4월 3일부터 4일까지 열린 제20차 아세안 정상회의와 2012년 11월 17일부터 19일까지 열린 제21차 아세안 정상회의로 모두 프놈펜에서 열렸어요. 이 두 회의에서는 지역 경제 협력의 확대, 아세안 인권 선언 채택, 관광을 위한 천연자원 정비 등에 관한 내용이 논의됐어요.

캄보디아와 동남아시아 경기 대회

캄보디아는 동남아시아반도 경기 대회가 동남아시아 경기 대회로 이름을 바꾸기 전부터 참가했어요. 제일 처음으로 참가한 경기는 1961년에 개최된 제2회 동남아시아반도 경기 대회였어요.

퀴즈

1. 캄보디아는 어느 반도에 위치해 있나요?

① 말레이반도
② 인도차이나반도
③ 발칸반도

정답 : ②

2. 캄보디아의 국가는 무엇인가요?

① 노꼬리얏
② 나카라
③ 마하라야

정답 : ①

3. 캄보디아의 화폐 단위는 무엇인가요?

① 리얼
② 릴
③ 롤

정답 : ①

4. 캄보디아의 국화는 무엇인가요?

① 연꽃
② 룸두얼
③ 난초

정답 : ②

5. 캄보디아의 주요 강들이 만나는 곳은 어디인가요?

① 똔레쌉호
② 앙코르와트 앞
③ 프놈펜 왕궁 앞

정답 : ③

6. 캄보디아에서 비가 가장 많이 내리는 달은 언제인가요?

① 8월
② 9월
③ 10월

정답 : ③

7. 캄보디아의 동남쪽에 펼쳐져 있는 평야는 어느 강 유역에 있나요?

① 바싹강
② 메콩강
③ 똔레쌉강

정답 : ②

8. 캄보디아에서 가장 높은 산은 어디인가요?

① 프놈아오랄
② 프놈덩랙
③ 프놈룽

정답 : ①

9. 캄보디아는 몇 개 주가 있나요?

① 23개
② 24개
③ 25개

정답 : ②

10. 캄보디아에서 크메르족 다음으로 많은 종족은?

① 중국계
② 라오족
③ 베트남계

정답 : ③

11. 캄보디아의 수도는 어디인가요?

① 씨엄리업
② 프놈펜
③ 프라나컨

정답 : ②

12. 브라만 사제가 지은 사원은 무엇인가요?

① 쁘라쌋 바이온
② 쁘라쌋 쁘레어위히어
③ 쁘라쌋 번띠어이쓰러이

정답 : ③

13. 캄보디아의 삼륜자전거는 무엇이라고 부르나요?

① 똑똑
② 씨클로
③ 베짝

정답 : ②

14. 물의 여신인 강가에게 감사를 드리기 위한 행사는 무엇인가요?

① 번다엣쁘러띱
② 러이 끄라통
③ 러이 앙칸

정답 : ①

15. 캄보디아 사람들이 가장 좋아하는 스포츠는 무엇인가요?

① 농구
② 수영
③ 축구

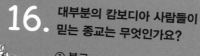

ⓒ : 답정

16. 대부분의 캄보디아 사람들이 믿는 종교는 무엇인가요?

① 불교
② 기독교
③ 이슬람교

① : 답정

17. 체크무늬의 긴 천으로 캄보디아 사람에게 꼭 필요한 것은 무엇인가요?

① 썸뽓
② 쏨빡
③ 끄러마

ⓒ : 답정

18. 캄보디아에서 오전반과 오후반이 나뉘는 2부제 수업은 언제 하나요?

① 초등학교 때
② 중학교 때
③ 고등학교 때

① : 답정

19. 다음 중 캄보디아 요리인 것은?

① 아목
② 락사
③ 나시고렝

① : 답정

20. 캄보디아의 뜩므렛의 특징은 무엇인가요?

① 후추와 라임즙을 넣어요.
② 식초를 넣어요.
③ 팜슈가를 넣어요.

① : 답정

21. 앙코르와트의 회랑 벽면에 새겨진 여신들의 동작에서 따온 춤은 무엇인가요?

① 닭 댄스
② 농부 댄스
③ 압싸라 댄스

ⓒ : 답정

22. 꼬리잡기와 비슷한 캄보디아의 놀이는 무엇인가요?

① 천숨기기
② 짭꼰끌라엥
③ 끄러쁘

② : 답정

23. 은 세공품의 주요 생산지는 어디인가요?

① 껀달
② 씨엄리업
③ 번띠어이미언쩨이

① : 답정

24. 크메르 문자 중에서 일반적인 내용을 작성할 때 쓰는 문자는 무엇인가요?

① 악써물(둥근 문자)
② 악써쯔리엉(기울임 문자)
③ 로마자

② : 답정

25. 크메르어 숫자의 기본 수는 몇 개인가요?

① 5개
② 9개
③ 10개

① : 답정

26. 캄보디아가 완전한 독립을 이룬 것은 몇 년인가요?

① 1952년
② 1953년
③ 1954년

② : 답정

27. 캄보디아가 동남아시아 경기 대회에 처음 참여한 때는 몇 년인가요?

① 1961년
② 1962년
③ 1963년

① : 답정

28. 캄보디아는 아세안국가연합에 가입한 몇 번째 나라인가요?

① 8번째
② 9번째
③ 10번째

ⓒ : 답정

간단한 크메르어 회화

인사와 일상생활

크메르어	크메르어 읽기	한국어
ជម្រាបសួរ សួស្តី?	쭘리업쑤어 쑤어쓰더이	안녕하세요? 안녕?
ជម្រាបលា លាហើយ.	쭘리업리어 리어하어이	안녕히 가세요.
ខ្ញុំសុខសប្បាយ។	크놈쏙쌉바이	난 잘 지내요.
អរគុណ។	어꾼	고마워요.
សុមទោស។	쏨또	미안해요.
បាទ. / អត់ទេ.	밧/엇떼	예./아니오.
ខ្ញុំចូលចិត្ត។ / ខ្ញុំមិនចូលចិត្តទេ។	크놈쫄쩟 / 크놈믄쫄쩟떼	마음에 들어요./ 마음에 들지 않아요.

새 친구와 사귀기

크메르어	크메르어 읽기	한국어
ខ្ញុំជាជនជាតិកូរ៉េ.	크놈찌어쫀찌엇꼬레	나는 한국 사람이에요.
ខ្ញុំមកពីប្រទេសកូរ៉េ.	크놈목삐쁘러떼꼬레	나는 한국에서 왔어요.
តើអ្នកអាចនិយាយភាសាកូរ៉េ បានទេ?	따어네어앛니이어이 피어싸꼬레반떼	한국어를 할 줄 아나요?
តើអ្នកអាចនិយាយភាសាអង់គ្លេស បានទេ?	따어네어앛니이어이 피어싸엉클레반떼	영어를 할 줄 아나요?

크메르어	크메르어 읽기	한국어
តើគេហៅវាជាភាសាខ្មែរថាយ៉ាង ដូចម្តេច ?	따어께하우위어찌어 피어싸크마에타양돗드뎆	이것은 캄보디아 말로 뭐라고 하나요?
តើអ្នកអាយុប៉ុន្មានហើយ ?	따어네어아유쁜만하어이	몇 살이에요?
អ្នកពិតជាចិត្តល្អណាស់។	네어쁫찌어쩟르어나	정말 친절하네요.
ពួកយើងជាមិត្ត។	뿌어영찌어뭇	우리는 친구예요.

음식

크메르어	크메르어 읽기	한국어
ខ្ញុំឃ្លាន។	크놈클리언	배고파요.
ខ្ញុំមិនឃ្លានទេ។	크놈믄클리언떼	배고프지 않아요.
ខ្ញុំឆ្អែតហើយ។	크놈츠아엣하어이	배가 불러요.
ខ្ញុំមិនអាចញ៉ាំម្ហូបហឹរទេ។	크놈믄앗냠므홉헐떼	나는 매운 음식은 못 먹어요.
ឆ្ងាញ់ណាស់.	층안나	맛있어요.

관광

크메르어	크메르어 읽기	한국어
ខ្ញុំចង់ដើរលេង។	크놈쯩다어렝	여행을 가고 싶어요.
នៅភ្នំពេញ កន្លែងណាគួរឲ្យចង់ទៅ ដើរលេងខ្លះ?	느우프놈펜껀라엥나 꾸어아오이쯩뜨우다어렝클라	프놈펜에서 가 볼 만한 곳은 어디인가요?
តើអ្នកអាចថតរូបឲ្យខ្ញុំបានទេ?	따어네어앗텁룹아오이크놈반떼	사진을 찍어 주실 수 있나요?
តើខ្ញុំអាចថតរូបនៅទីនេះបានទេ?	따어크놈앗텁룹느우띠니반떼	여기서 사진 찍어도 되나요?
វាជាកន្លែងស្អាត។	위어찌어껀라엥쓰앗	정말 아름다운 곳이에요.

쇼핑

크메르어	크메르어 읽기	한국어
តើវាមានតម្លៃប៉ុន្មាន?	따어위어미언덤라이뽄만	이것은 얼마예요?
វាមិនថ្លៃទេ។	위어믄틀라이떼	비싸지 않아요.

참고 자료

도서

아세안국. 아세안여행기록. 1쇄. 방콕: 외교부 아세안국.

Chandler, David. A History of Cambodia.(판응암 응아오탐마싼 외 번역). 제 2쇄. 방콕: 사회학 및 인문학 교재 재단.

낫타폰 짠응암. 회화를 위한 캄보디아어 기초. 제 2회 타이 문학작품 속의 크메르어 차용에 관한 워크숍 자료집. 씬라빠껀 대학교 고고학대 동양어학.

팁디 부어캄씨. 캄보디아 국가"노꼬리엇(Nokor Reach)"의 유래: 기초교육. 와라싼쌍콤룸남콩.

팁디 부어캄씨. 캄보디아역사. 방콕: 므엉보란.

만리까 퐁빠릿. 넓은 세계로 향한 창: 라오스와 캄보디아. 방콕: 나땅쑤록꽝.

싼띠 팍디캄. 캄보디아의 세 왕: 찌어씸, 훈센, 헹썸른 계급명의 유래와 의미. 닛따야싼씬라빠왓타나탐.

쑤찟 윙텟. 동남아시아 역사 속의 나가. 방콕: 마띠촌.

SCW. The Atlas of Cambodia: National Poverty and Environment Maps. Phnom Penh:Save Cambodia's Wildlife, 2006.

사진 제공

Lyngve Skrede (10쪽: 프놈 아오랄)

Dr. Blofeld2WikiMedia (13쪽: 꺼꽁타이)

stoptocorruption.blogspot.com (19쪽: 쁘라쌋 쁘레어위히어)

shutterstock.com (21쪽 씨엄리업 공항)

Ekabhishek (23쪽: 앙코르와트 앞의 승려들)

vietstreetfood.com (29쪽: 캄보디아식 빙수)

캄보디아 대사관(12쪽 : 캄보디아 의회, 46쪽 : 훈센 총리 사진)

한국국제교류재단과 아세안문화원

한국국제교류재단은 1991년 설립 이래 세계 각 국을 대상으로 문화예술교류, 해외한국학진흥, 인사초청 및 해외정책연구지원 등 다양한 분야에서 상호 이해를 심화하기 위한 활동을 추진해온 대한민국 대표 공공외교 전문기관입니다.

2017년부터는 아세안문화원 운영을 맡아 한·아세안의 밀도 있는 상호교류 사업을 진행해 왔고, 이를 통해 한국과 아세안회원국 국민들 사이의 상호신뢰와 우호친선 증진에 기여해 오고 있습니다.

The Korea Foundation & ASEAN Culture House

Since its establishment in 1991, the Korea Foundation (KF) has conducted diverse projects to promote a broadened mutual understanding between Korea and many other countries around the world. Through its various efforts and work in artistic, cultural, academic, and people-to-people exchange, the KF is now renowned as Korea's most representative public diplomacy organization. In 2017, the KF was tasked which the role of operating the newly opened ASEAN Culture House (ACH), and has hosted and organized numerous programs, with aims of building mutual trust and friendship between the peoples of ASEAN and Korea.

48108 부산시 해운대구 좌동로 162
Tel 051-775-2000
www.ach.or.kr

63565 제주도 서귀포시 신중로 55
Tel 064-804-1000
www.kf.or.kr

The ASEAN Way series ② Cambodia

Copyright ⓒ 2014 by Nanmeebooks Co., Ltd.

ALL RIGHTS RESERVED.

Korean language edition ⓒ 2021 by ASEAN Culture House (ACH), Korea Foundation

Korean language translation rights arranged with Nanmeebooks Co., Ltd.
through KL Management, Seoul, Korea

아세안웨이②

캄보디아

초판 인쇄 2021년 12월 17일
초판 발행 2021년 12월 30일

글 와차린 용씨리
표지 및 삽화 인깝사이(Insine)
번역 배수경
감수 부산외국어대학교 특수외국어사업단
　　　부산외국어대학교 크메르어 연계전공 정연창
협력 주한 캄보디아대사관

발행인 이근
발행 한국국제교류재단
주소 제주특별자치도 서귀포시 신중로55 서귀포시청 제2청사(법환동)
출판등록 제 652-3210000251001977000001호

편집 꿈틀 이정아
디자인 design S 손성희

구입문의 꿈틀 전화 010-8436-1212 / 팩스 0505-115-3380

ISBN 979-11-5604-417-8
　　　979-11-5604-415-4(세트)

ⓒ Nanmeebooks Co., Ltd.

• 제조자명 : 한국국제교류재단
• 주소 : 제주특별자치도 서귀포시 신중로55 서귀포시청2청사 (법환동)
• 인쇄일 : 2021년 12월
• 제조국명 : 대한민국
• 사용연령 : 5세 이상 어린이 제품
• 주의사항 : 날카로운 모서리와 책장에 주의하세요.

아세안 웨이(전10권)

아세안 국가를 제대로 알고 싶나요?

아세안에 대해 궁금했던 정보들이 한가득!
생생한 사진과 그림과 함께 아세안 10개국의 음식, 놀이, 문화, 주요도시,
역사, 인물, 풍습, 언어 등을 알아봐요. 각 나라의 인사말도 배우고,
재미있는 퀴즈도 풀어봐요.
선생님과 친구들과 함께 보면 더 재미있어요!

① 브루나이 ② 캄보디아 ③ 인도네시아 ④ 라오스 ⑤ 말레이시아
⑥ 미얀마 ⑦ 필리핀 ⑧ 싱가포르 ⑨ 태국 ⑩ 베트남

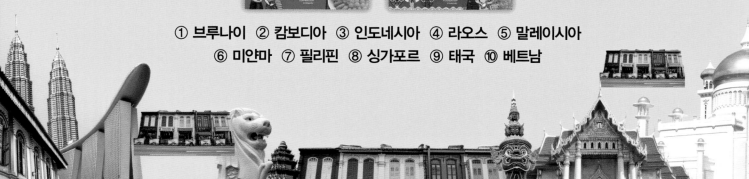